"De Silver, nous n'avons plus jamais entendu parler.
Ce formidable marin à une jambe a enfin disparu de ma vie.
Je suppose qu'il a retrouvé sa vieille négresse et que, peut-être,
il coule des jours heureux avec elle et le capitaine Flint.
C'est à espérer, du moins, car ses chances de bonheur
dans l'autre monde sont des plus minces…"

R. L. STEVENSON, "L'Île au trésor"

Cet ouvrage ne prétend pas être une suite de "L'Île au trésor",
mais un humble hommage à cet immense chef-d'œuvre qui ne cesse
de nous émerveiller depuis notre enfance. Son seul et unique objet est de retrouver
un peu de la poussière du grand rêve que fit naître Robert Louis Stevenson…

Nous remercions tout particulièrement Michel Viotte et Jean-Claude Bonnefoi
pour le temps qu'ils ont bien voulu nous consacrer
et la précieuse documentation qu'ils nous ont fournie.

Toute notre amitié et notre reconnaissance à nos compagnons de voyage,
Fabien Nury, Alex Alice, Robin Recht, pour leur présence et leur aide indispensable
à la réalisation de cette histoire.

Un grand merci également à Thim Montaigne pour son assistance précieuse
sur les couleurs ainsi qu'à Thomas Simon pour son aide à la conception graphique.

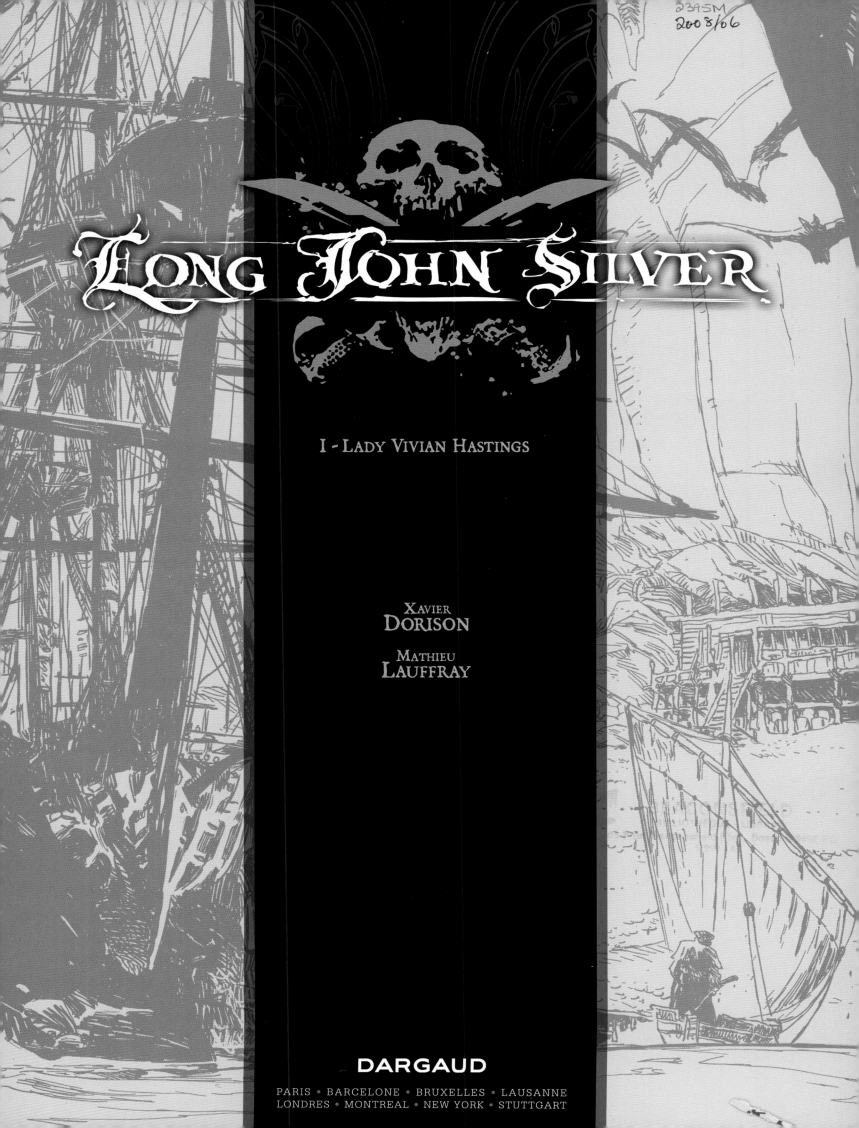

# Long John Silver

I - Lady Vivian Hastings

Xavier
**Dorison**

Mathieu
**Lauffray**

**DARGAUD**

PARIS • BARCELONE • BRUXELLES • LAUSANNE
LONDRES • MONTREAL • NEW YORK • STUTTGART

**1785**
AUX CONFINS DU FLEUVE AMAZONE

MON CHER ORPHÉE,

QUAND TU LIRAS CES QUELQUES LIGNES, JE NE SERAI PROBABLEMENT PLUS DE CE MONDE. N'Y VOIS POURTANT PAS LES DERNIERS ATERMOIEMENTS D'UN VIEILLARD APEURÉ OU UNE QUELCONQUE DEMANDE D'ABSOLUTION. JE NE MÉRITE NI PITIÉ, NI PARDON.

MILLE FOIS TU M'AS INTERROGÉ SUR MON PASSÉ, MILLE FOIS LA HONTE A SCELLÉ MES LÈVRES.

MAIS EN CES HEURES SOMBRES, JE TROUVE ENFIN LE COURAGE DE TE LÉGUER CES TERRIBLES SOUVENIRS. PUISSES-TU Y SÉPARER LE BON GRAIN DE L'IVRAIE ET Y DÉCOUVRIR LES RÉPONSES QUE TU AS TANT CHERCHÉES.

MES MAINS TREMBLENT ET POUR TOUT TE RACONTER, IL ME FAUT CALMER CETTE FIÈVRE QUI M'ENVAHIT À CHAQUE FOIS QUE J'ÉVOQUE CES ÉVÉNEMENTS DE 1785. À PEINE UN DEMI-SIÈCLE S'EST ÉCOULÉ DEPUIS, MAIS IL NE RESTE DE TOUT CELA QU'UNE ÉPOQUE OUBLIÉE ET DÉFINITIVEMENT RÉVOLUE.

CETTE HISTOIRE COMMENCE DANS UN MONDE LOINTAIN, UN MONDE QUE DIEU LUI-MÊME SEMBLAIT AVOIR ABANDONNÉ...

O'BRIAN EST MORT, MY LORD.

LORD HASTINGS ?

LA FATIGUE L'A EU... LA FIÈVRE... COMME LES AUTRES !

Y A DE QUOI RIRE, HEIN L'INDIEN !...

VOIR LES P'TITS BLANCS CRACHER LEURS TRIPES PENDANT QUE TU MÂCHOUILLES TON HERBASSE, Y A PAS MIEUX, HEIN ?

MAIS JE SAIS, MOI... Y A RIEN DANS TA PUTAIN DE JUNGLE ! PAS PLUS D'OR QUE DE TAFIA DANS UN COUVENT !

ALORS MAINTENANT TU VAS TE LEVER GENTIMENT ET TOUT DIRE À LORD HASTINGS...

TU VAS LUI DIRE QU'ON TROUVERA RIEN DU TOUT, QU'ON VA RENTRER AU BERCAIL ET QUE TU NOUS AS ROULÉS !

ET LÀ, C'EST MOI QUI VAIS RIRE, T'ENTENDS ?

T'ENTENDS ??

T'ENTENDS !!

AKK !!

PENDANT CE TEMPS, À L'AUTRE BOUT DU MONDE...

C'ÉTAIT UN JEUDI JE CROIS... LORD PRISHAM SE RENDAIT CHEZ LADY VIVIAN HASTINGS. DEPUIS DES ANNÉES, CETTE DERNIÈRE ÉTAIT DÉLAISSÉE PAR SON MARI, LORD BYRON HASTINGS, PARTI POUR LE NOUVEAU MONDE...

CE JOUR-LÀ... MAIS ATTENDS! JE M'EMPORTE DÉJÀ.

AVANT D'ALLER PLUS LOIN DANS CE RÉCIT, IL ME FAUT TE PARLER UN PEU DE LADY VIVIAN HASTINGS...

JE NE TIENS PAS À TE CHOQUER MAIS AUTANT TE L'AVOUER TOUT DE SUITE...

DES BONNES MOEURS ELLE AVAIT...

... SA PROPRE INTERPRÉTATION...

JE NE VOIS RIEN DU TOUT.

POURTANT CELA NE FAIT AUCUN DOUTE, MY LADY, J'AI SUFFISAMMENT L'HABITUDE DE CES SIGNES, VOUS ÊTES ENCEINTE.

QUELLE PLAIE! COMME SI J'AVAIS BESOIN DE ÇA MAINTENANT!

CELA NE SE VERRA QUE DANS QUATRE À SIX MOIS, MY LADY. TOUT DÉPEND DU VENTRE ET DE LA LUNE. ON DIT QUE LORSQU'ELLE EST PLEINE ET QUE VÉNUS..

MERCI ELSIE... JE SUIS SÛRE QUE VOUS SEREZ DE BON CONSEIL ...

...EN TEMPS UTILE.

IL EST JUSTEMENT L'HEURE DE VOUS PRÉPARER, LORD PRISHAM DEVRAIT ÊTRE LÀ D'UNE MINUTE À L'AUTRE.

DÉJÀ !?

4 -

HMM... MILORD, QUI DOIS-JE ANNONCER ?

LORD PRISHAM, MON AMI ! VENU TOUT SPÉCIALEMENT DE BRISTOL ! LADY HASTINGS BRÛLE D'IMPATIENCE !

AHH... QUEL VOYAGE! PAS MÉCONTENT D'ÊTRE ARRIVÉ !

SORTEZ LA ROBE DE MADRAS BLEU ET LE COLLIER DE SAPHIRS DU PENDJAB, FAITES VITE !!!

MAIS... MY LADY...

IL EST VRAIMENT TEMPS DE ME TROUVER UN MARI...

NOUS AVONS VENDU LE COLLIER POUR PAYER LE BOIS DE L'HIVER DERNIER.

J'OUBLIAIS...ET LES PERLES DE CASAMANCE ?

ELLES ONT PAYÉ VOTRE SOIRÉE D'ANNIVERSAIRE.

MAIS...LORD PRISHAM... JE CROYAIS QU'IL N'ÉTAIT QUE L'ERREUR D'UNE NUIT... POURQUOI LUI, MY LADY ?

PARCE QU'IL EST LE DERNIER À CROIRE À MA FORTUNE...

AH, MON AMI, SI VOUS SAVIEZ ! ELLE N'A D'YEUX QUE POUR MOI.

CERTAINEMENT, MILORD...

C'EST LUI ! IL ARRIVE !!

DU CALME, ELSIE, JE COMPTE SUR VOUS, RETENEZ-LE À TOUT PRIX ! GAGNEZ-MOI UNE MINUTE...

AHH, LORD PRISHAM! QUELLE... QUELLE SURPRISE VRAIMENT... QUEL !...

MAIS ENFIN MA FILLE, LADY HASTINGS M'ATTEND ! FAITES PLACE !...

HEU... VOUS ME VOYEZ BIEN ÉTONNÉE MILORD, JE...

CLAC!

C'EST BIEN, ELSIE, VOUS POUVEZ FAIRE ENTRER...

!...

PRISHAM, QUEL PLAISIR, JE N'ESPÉRAIS PAS VOUS VOIR SI TÔT...

VOUS ME PRENEZ TOTALEMENT AU DÉPOURVU...

5-

9

VOUS SAVEZ, VIVIAN, JE CONTINUAIS À RÊVER MAIS N'ESPÉRAIS PLUS...

JE VOUS AIME ET POUR CELA, JE VOUS PARDONNE AUTANT VOS INFIDÉLITÉS QUE VOS HÉSITATIONS... VOUS VOYEZ ? JE NE VEUX PLUS DE CETTE TRISTESSE SUR VOTRE VISAGE... EXPRIMEZ VOS DÉSIRS ET VOUS SEREZ EXAUCÉE.

MON AMI, JE SAIS CE QUE JE VOUS AI FAIT ENDURER. C'EST À MOI MAINTENANT DE VOUS COMBLER...

POUR CELA, J'AI LE PLUS BEAU DES CADEAUX...

PRISHAM, MON AMI, JE SUIS ENCEINTE DE VOUS...

CE... CE N'EST PAS POSSIBLE...

UNE NUIT A SUFFI À NOTRE BONHEUR.

MAIS... ET VOTRE MARI ?

MON MARI ? TOUJOURS AUX AMÉRIQUES, IL N'A PAS DONNÉ SIGNE DE VIE DEPUIS PLUS DE TROIS ANS. MON DEVOIR D'ÉPOUSE ME CONDAMNERA BIENTÔT À ANNONCER SON DÉCÈS. ENTRE LES FIÈVRES ET LES ANI-MAUX SAUVAGES, JE PRIE POUR QUE SA FIN AIT ÉTÉ DES PLUS DOUCES...

MA CHÈRE VIVIAN, VOUS SAVEZ QUE JE FERAIS TOUT POUR VOUS ! MAIS JE NE PEUX VOUS DONNER CE QUE VOUS DEMANDEZ...

TANT QUE VOUS N'ÊTES PAS SÛRE POUR VOTRE MARI...

CE SERAIT INCONVENANT.

INCONVENANT... LORD BYRON HASTINGS EST MORT, PRISHAM, IL DOIT L'ÊTRE, ET L'ENFANT QUE JE PORTE A BESOIN D'UN PÈRE. UN PÈRE QUI HÉRITERA DU DOMAINE DES HASTINGS.

TOUT LE DOMAINE ?

DEUX MOIS PLUS TARD, UN HIVER AUSSI SOUDAIN QU'IMPITOYABLE S'ABATTIT SUR LES CÔTES D'ANGLETERRE...

NON LOIN DE BRISTOL, LA TEMPÊTE BRISA UNE GOÉLETTE SUR LES RÉCIFS, TANDIS QUE LONDRES PLEURAIT CHAQUE MATIN SON LOT DE VICTIMES.

MAIS VIVIAN AUSSI AVAIT SES PROBLÈMES...

UNE GRANDE TÂCHE L'ATTENDAIT...

...SES SECONDES NOCES.

IL FAUDRA PENSER À FAIRE ENLEVER CE PORTRAIT, ELSIE...

ET PUIS VOUS DEMANDEREZ À MR FRY DE ME REFAIRE UNE NOUVELLE ROBE.

MY LADY, LE TRAITEUR DEMANDE S'IL DOIT SERVIR LES FILETS DE BICHE OU LES FEUILLANTINES DE VEAU ?

CELLE-CI NE ME CONVIENT PLUS ...

LES DEUX, BIEN SÛR, PRISHAM N'EST PLUS À ÇA PRÈS ...

PUIS-JE VOUS FORMULER UNE FAVEUR, MY LADY ?

CELA AURAIT ÉTÉ AVEC JOIE, OLIVER, MAIS J'AI DÉJÀ DEMANDÉ AU FILS DU COMTE DE BESHFORD ET À LA FILLE DE SIR WESTLAKE, QUEL DOMMAGE...

MON PETIT OLIVER RÊVE DE FAIRE PARTIE DES ENFANTS D'HONNEUR, PENSEZ-VOUS QUE...

CE SERA POUR LA PROCHAINE FOIS, MA FILLE... QUI SAIT ? AU RYTHME OÙ VONT LES CHOSES ...

CLIIC

AHHHH

7-

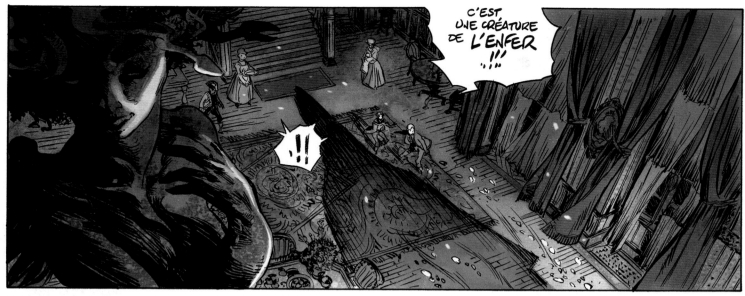

C'EST UNE CRÉATURE DE L'ENFER !!!

!!!

UN DÉMON !!

ASSEZ !!

OUVREZ DONC LES YEUX ! C'EST UN SAUVAGE ...

ET VOUS NE PERMETTREZ, CHER BEAU-FRÈRE, DE NE PAS PARTAGER VOTRE SENS DU PITTORESQUE ...

VOUS DEVRIEZ POURTANT VOUS Y ESSAYER, MY LADY.

NOXTECHICA VOUS APPORTE LA BONNE NOUVELLE DES AMÉRIQUES ...

"ET LES SALUTATIONS DE LORD BYRON HASTINGS.

8-

MOXTECHICA EST ARRIVÉ IL Y A UNE SEMAINE À PORTSMOUTH. IL M'A RETROUVÉ QUELQUES JOURS PLUS TARD... J'AI DEMANDÉ SUR-LE-CHAMP UN CONGÉ DE SERVICE POUR VENIR VOUS VOIR...

REPAS SUCCULENT, MY LADY.

EST-CE QUE LA MARINE DE SA MAJESTÉ NE DEVAIT PAS JUSTEMENT REPARTIR CROISER LE FEU AVEC NOS AMIS FRANÇAIS ?

CELA AURAIT ÉTÉ MA SEPTIÈME CAMPAGNE ET MA PROMOTION COMME CAPITAINE DE VAISSEAU, MAIS IL SE TROUVE QUE VOTRE MARI EST AUSSI MON FRÈRE ET QU'IL M'A FAIT PORTER PERSONNELLEMENT SA MISSIVE, CHEZ LES HASTINGS, LE DEVOIR ENVERS LA FAMILLE ET L'ANGLETERRE PASSE AVANT LES CONSIDÉRATIONS PERSONNELLES.

OUI CAPITAINE, QUELLE BELLE FAMILLE QUE LA VÔTRE. VOUS ÊTES TOUS TELLEMENT... À L'IMAGE DE MON CHER ÉPOUX.

ALORS, IL PARAÎT QUE CE SAUVAGE ÉTAIT AVEC LUI AUX AMÉRIQUES...

EST-CE QU'IL PARLE NOTRE LANGUE ?

QUELQUES MOTS, MAIS IL COMPREND PRESQUE TOUT.

BIEN... ALORS, MOXTE... NOTE... MOCHE... BIEN, MOC, NOUS DIRONS "MOC", QUELLES BONNES NOUVELLES M'APPORTEZ-VOUS DE BYRON ? EST-CE QU'IL VA BIEN ?

OUI

VOILÀ QUI EST HEUREUX, IL N'EST PAS MALADE, SES HOMMES S'OCCUPENT DE LUI, LES BÊTES SAUVAGES LE LAISSENT EN PAIX ?

OUI

ME VOILÀ RASSURÉE. ET CETTE LETTRE QU'IL M'A FAIT PARVENIR, PUIS-JE ENFIN LA VOIR ?

MA CHÈRE LADY HASTINGS, JE PRÉFÉRERAIS VOUS EN FAIRE PART ...

...EN PRIVÉ.

9-

LE GRENIER DE BYRON... POURQUOI TANT DE PRÉCAUTIONS, EDWARD ? À CROIRE QUE LES NOUVELLES DE MON MARI RELÈVENT DU SECRET ROYAL...

LA DISCRÉTION, MY LADY, L'APANAGE DE TOUTE PERSONNE DÛMENT ÉDUQUÉE... CROYEZ-MOI, VOUS APPRÉCIEREZ QUE TOUT CECI RESTE ENTRE NOUS...

VOUS AVEZ TOUTE MON ATTENTION, CHER BEAU-FRÈRE ...

LORD BYRON HASTINGS A PRIS SOIN DE ME COMMUNIQUER DES INSTRUCTIONS TRÈS PRÉCISES ... CERTAINES VOUS CONCERNENT, D'AUTRES NON. DANS CE BUT, IL M'A NOMMÉ MANDATAIRE PLÉNIPOTENTIAIRE.

COMME LA LOI M'Y AUTORISE, MA CHÈRE, CELA ME DONNE TOUT POUVOIR POUR LE REPRÉSENTER ET RÉUNIR AINSI LES 100 000 LIVRES DONT IL A BESOIN.

JE CRAINS QUE VOTRE SOLDE N'Y SUFFISE...

TOUT À FAIT JUSTE, MY LADY, C'EST POURQUOI JE SUIS CHARGÉ D'UNE MISSION BIEN DÉSAGRÉABLE EN VÉRITÉ.

VENDRE TOUS SES BIENS, MEUBLES, TITRES, TERRES ET, BIEN SÛR, LE MANOIR.

RAISON DE PLUS POUR PROCÉDER IMMÉDIATEMENT. PLUS TÔT NOUS SERONS FIXÉS, MIEUX CE SERA...

DONNEZ-MOI CETTE LETTRE !!

IL...IL N'A PAS LE DROIT DE FAIRE ÇA.

ABJECT, MY LADY... NE TROUVEZ-VOUS PAS CE TRAITEMENT BIEN CLÉMENT EN REGARD DE VOS FRASQUES LAMENTABLES ? CONSIDÉREZ DONC CELA COMME UN JUSTE RETOUR DES CHOSES, RIEN DE PLUS...

SANS MÊME UNE EXPLICATION... C'EST INJUSTE, EDWARD, C'EST ABJECT...

MES DEVOIRS ENVERS VOUS SONT ACCOMPLIS, BONNE NUIT MA CHÈRE.

SES BIENS !... EDWARD, VOUS SAVEZ QU'AVANT NOTRE MARIAGE, TOUT CELA APPARTENAIT À MA FAMILLE ! RIEN NE ME FORCERA À M'EN SÉPARER. ET QUAND BIEN MÊME... JE DOUTE QUE LEUR VENTE SUFFISE À PAYER CE...

ELLE VOUS EST ADRESSÉE, MA CHÈRE.

VIVIAN, VOTRE MARI A TOUS LES DROITS SUR VOUS, ET IL ME LES A CONFIÉS.

VOUS SAVEZ, EDWARD, PARFOIS VOUS ME RAPPELEZ MON PÈRE ...

EH BIEN ?

JE L'AI BRÛLÉE.

MAIS VOUS N'ÊTES PLUS UNE ENFANT, ET UN MANOIR N'EST PAS UNE POUPÉE ...

C'EST UNE PETITE ANECDOTE... JE DEVAIS AVOIR SIX OU SEPT ANS. MON PÈRE M'ACCUSA D'AVOIR COUPÉ TOUTES LES ROSES DU JARDIN. POUR ME PUNIR, IL VOULUT ME PRENDRE MON UNIQUE POUPÉE.

COMME VOUS VOUDREZ, VILIAN ... SI VOUS TENEZ TANT À SAVOIR CE QUE VOUS MANQUEZ...

IL A TROUVÉ LA CITÉ DE GUYANACAPAC!

MAIS QU'UN SEUL MOT DE NOTRE CONVERSATION S'ÉVENTE ET SOYEZ SÛRE QUE NOUS DEVIENDRONS LE PREMIER GIBIER DE TOUTE LA RACAILLE DES BAS-FONDS, DE PORTSMOUTH À BRISTOL...

CE QUE BYRON A DÉCOUVERT DÉPASSE DE LOIN LES RICHESSES DU MONT POTOSI. MON FRÈRE A FAIT DU MYTHE DE L'ELDORADO UNE RÉALITÉ.

IL A RÉUSSI POUR LA PLUS GRANDE GLOIRE DE L'ANGLETERRE ...

!!
C'EST DONC ÇA ! MAIS MON PAUVRE AMI, C'EST UN FANTASME !

IL N'A RÊVÉ QUE DE ÇA PENDANT DES ANNÉES ! IL A SUFFI D'UNE FIÈVRE MALIGNE POUR QU'IL...

GUYANACAPAC EXISTE, MY LADY. MOXTECHICA A VU LA CITÉ. LA CANNE DE MON FRÈRE EN A FOULÉ LE SOL.

IL Y A LONGTEMPS DÉJÀ, DON ALMEDA RACONTAIT : " L'INCA ATAHUALPA AURAIT PU PAYER CENT FOIS SA RANÇON D'OR À CORTÉS S'IL AVAIT CONNU L'EXISTENCE DE CETTE CITÉ". CENT FOIS UN TEMPLE REMPLI D'OR...

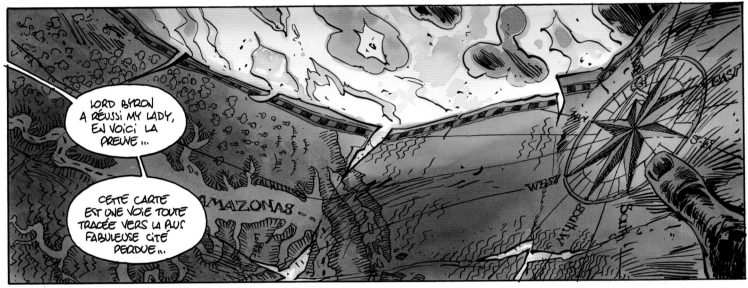

LORD BYRON A RÉUSSI MY LADY, EN VOICI LA PREUVE ...

CETTE CARTE EST UNE VOIE TOUTE TRACÉE VERS LA PLUS FABULEUSE CITÉ PERDUE...

JE CONDUIRAI UN NAVIRE JUSQU'AUX CÔTES, PUIS JE LE FERAI PÉNÉTRER JUSQUE DANS L'EMBOUCHURE DU FLEUVE AMAZONAS.

DE LÀ, MOXTECHICA NOUS CONDUIRA À TRAVERS LES CANAUX DE LA JUNGLE JUSQU'À SON VILLAGE.

CETTE CARTE SERA NOTRE FIL D'ARIANE ET BYRON NOTRE GUIDE.

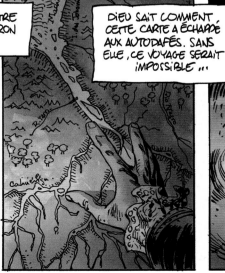

DIEU SAIT COMMENT, CETTE CARTE A ÉCHAPPÉ AUX AUTODAFÉS. SANS ELLE, CE VOYAGE SERAIT IMPOSSIBLE ...

12 -

NOUS DEVONS FAIRE VITE AFIN D'ARRIVER JUSTE APRÈS LA SAISON DES PLUIES.

C'EST LE SEUL MOMENT OÙ LE NIVEAU DES COURS D'EAU DU DELTA SERA ASSEZ IMPORTANT POUR PERMETTRE À NOTRE NAVIRE DE S'ENFONCER DANS LA JUNGLE.

ET QU'ADVIENDRA-T-IL DE MOI?

N'AYEZ CRAINTE, CHÈRE VIVIAN, NOUS NE COMPTONS PAS VOUS LAISSER DANS L'EMBARRAS... J'AI PENSÉ À UN ENDROIT FORT ADAPTÉ À VOTRE PERSONNALITÉ...

LE COUVENT SAINT-WILLIAM.

EDWARD...

POURQUOI ME FAITES-VOUS ÇA?

JE N'AIME PAS LES GENS COMME VOUS, VIVIAN. MAIS QUE JE LE VEUILLE OU NON, VOUS PORTEZ LE NOM DES HASTINGS. UN NOM ANCIEN ET GLORIEUX. JE NE VOUS LAISSERAI PLUS LE SOUILLER.

ET ME VOILÀ DONC CHÂTIÉE?

PROTÉGÉE, MY LADY...

...DE VOUS-MÊME...

13 -

GRISHAM EN FUT DONC POUR SES FRAIS, ET SE CONSOLA EN IMAGINANT VIVIAN DANS LES AFFRES DU COUVENT. POUR LUI, LES DÉS ÉTAIENT JETÉS ET CETTE FOIS, SON ANCIENNE MAÎTRESSE NE POURRAIT PLUS TROMPER PERSONNE...

C'ÉTAIT BIEN MAL LA CONNAÎTRE...

NON, VOUS NE POUVEZ PAS LES PRENDRE !

ILS APPARTENAIENT À SIR MONTEBELLO, PÈRE DE LADY VIVIAN ! IL A FAIT LA CAMPAGNE DE CEYLAN AVEC ! PRENEZ LES BABIOLES DU GRENIER SI VOUS VOULEZ, MAIS PAS ÇA !

MAIS MADAME, J'AI DES CONSIGNES DE LORD HASTINGS, MOI ! QU'EST-CE QUE JE VAIS LUI DIRE ?

M'EN FICHE !

LES SABRES, MY LADY ! HIER, LEUR SAUVAGE MANGE VOS COLOMBES ET AUJOURD'HUI, ILS ALLAIENT VENDRE LES SABRES DE VOTRE PÈRE ! AH, MON DIEU, QU'ALLEZ-VOUS BIEN POUVOIR FAIRE ?

PARTIR AVEC EUX

MY... MY LADY ! VOUS N'Y PENSEZ PAS ! IL DOIT Y AVOIR UNE AUTRE SOLUTION !?

COMME QUOI ? FAIRE VŒU DE PAUVRETÉ ET CHASTETÉ AU COUVENT ?

ET SI... ET SI PAR UN FÂCHEUX HASARD BIEN SÛR, L'ARGENT DU VOYAGE VENAIT À ÊTRE DÉROBÉ ?...

L'EXPÉDITION SERAIT ANNULÉE, ET MOI SANS LE SOU OU JETÉE AU CACHOT SI LE MOINDRE SHILLING RÉAPPARAISSAIT ENTRE MES MAINS...

D'AUTRES HYPOTHÈSES AUSSI SUBTILES, ELSIE ?...

EH BIEN... ET S'IL ARRIVAIT MALHEUR À LORD HASTINGS ?... NON PAS QUE JE LE SOUHAITE, BIEN SÛR, MAIS...

EDWARD A UN FIDÈLE LÈCHE-BOTTES, LE LIEUTENANT DANTZIG. LE JEUNE HOMME SERAIT RAVI DE PRENDRE SA PLACE. ET À QUI D'AUTRE ONT-ILS FAIT PART DE LEURS PLANS ?

14

ET VOTRE BÉBÉ, VOUS Y AVEZ PENSÉ ? LA RÉACTION DE VOTRE MARI ?

JE CROYAIS AVOIR QUATRE MOIS DEVANT MOI, ELSIE... S'IL LE FAUT, JE VERRAI UNE FAISEUSE D'ANGES À BRISTOL.

OH MY LADY, NON ! VOUS NE POUVEZ PAS !!!

TAIS-TOI, IDIOTE !

SLAM !

QU'EST-CE QUE TU CROIS ?! SA SENTENCE EST DÉFINITIVE ! MARMOT OU PAS, BYRON NE ME CLOÎTRE PAS AU COUVENT POUR VENIR ME REPRENDRE ! MAIS SI SON FRÈRE ET LUI S'IMAGINENT QU'ILS VONT ME DÉPOUILLER PENDANT QU'ILS SE GAVENT, ILS DÉLIRENT !!

J'AURAI MA PART, TU ENTENDS !? J'AURAI MON OR !!

IL... IL VA VOUS FALLOIR DE L'AIDE...

DE L'AIDE... ! ET TU CONNAIS DES VOLONTAIRES, PEUT-ÊTRE ?

MOI NON... MAIS ON DIT QUE LE DOCTEUR DU COMTÉ, LIVESEY, EN AURAIT CONNU... AU MOINS UN. UN MARIN À LA JAMBE DE BOIS... LE GENRE D'HOMME QUI VOUS SUIVRAIT EN ENFER POUR LA PROMESSE D'OR...

RENDEZ CES SABRES AU CAPITAINE, ELSIE. ET NE VOUS INQUIÉTEZ PAS... MON PÈRE M'A VENDUE AUX HASTINGS POUR BIEN MOINS QUE ÇA...

15—

NOUS SOMMES SUR LE DÉPART, MY LADY !

VOUS POUVEZ REMERCIER SIR BASILROSE QUI ACCEPTE DE SE PORTER ACQUÉREUR DU MANOIR. GRÂCE À LUI LE LIEUTENANT DANTZIG ET MOI-MÊME SERONS DÈS DEMAIN À BRISTOL POUR ACQUÉRIR UN BRIGANTIN ET SON ÉQUIPAGE.

UN VOYAGE DE COMMERCE EST TOUJOURS UN BEAU VOYAGE, CAPITAINE. QU'ALLEZ-VOUS TRANSPORTER AU JUSTE ?

CACAO ET CLOUS DE GIROFLE DEPUIS PORT-ROYAL.

MA CHÈRE, IL NE MANQUE PLUS QUE VOTRE SIGNATURE.

AVEC PLAISIR, CAPITAINE. QUE NE FERAIS-JE POUR REJOINDRE MON CHER BYRON...

JE... JE VOUS DEMANDE PARDON ?! IGNOREZ-VOUS CE QUE REPRÉSENTE UN TEL VOYAGE ?!!

JE N'IGNORE PAS MON AMOUR POUR BYRON. JE LUI OFFRE JUSQU'À MES DERNIÈRES FORCES POUR LE RETROUVER.

VOUS NE VOUDRIEZ PAS LE PRIVER D'UNE TELLE SURPRISE ?...

APRÈS TOUT, LA PLACE D'UNE ÉPOUSE N'EST-ELLE PAS AUX CÔTÉS DE SON MARI ?...

ELSIE, FAITES PRÉPARER MON FIACRE. J'AI BESOIN DE VOIR UN DOCTEUR.

C'EST ÇA, ALLEZ VOIR CE BON DOCTEUR LIVESEY. PARTEZ AU BOUT DU MONDE AVEC CES COUPE-JARRETS.

ET BON DÉBARRAS !

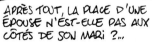

16-

JE CROIS, MON CHER ORPHÉE, QUE L'ON PEUT VIVRE LONGTEMPS EN RENIANT SES ASPIRATIONS LES PLUS PROFONDES. CROIS-EN MON EXPÉRIENCE, JE LE FAISAIS DEPUIS DES ANNÉES. ET J'AURAIS VOLONTIERS CONTINUÉ SI ELLE N'ÉTAIT PAS APPARUE DANS MA VIE.

J'AI BIEN PEUR QU'IL REFUSE DE VOUS AIDER. LE DOCTEUR A LA RÉPUTATION D'ÊTRE UN HOMME DE PRINCIPE...

IL Y A MILLE MANIÈRES DE FAIRE OUBLIER LES PRINCIPES, ET AUCUNE QUE JE N'AIE DÉJÀ ÉTÉ FORCÉE D'APPRENDRE...

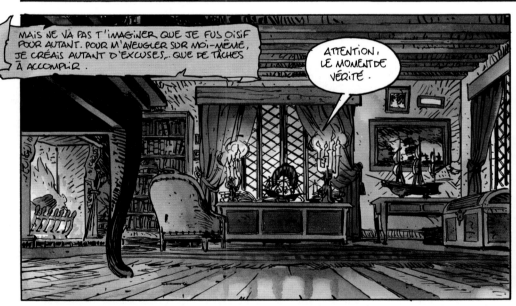

MAIS NE VA PAS T'IMAGINER QUE JE FUS OISIF POUR AUTANT. POUR M'AVEUGLER SUR MOI-MÊME, JE CRÉAIS AUTANT D'EXCUSES, QUE DE TÂCHES À ACCOMPLIR.

ATTENTION, LE MOMENT DE VÉRITÉ.

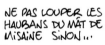

NE PAS LOUPER LES HAUBANS DU MÂT DE MISAINE SINON...

DOCTEUR LIVESEY!!

HELL!

VOUS SAVEZ QUI EST À LA PORTE ?!...

LADY VIVIAN HASTINGS! CETTE INTRIGANTE! CHEZ NOUS!...

LADY HASTINGS? ALLONS, CALMEZ-VOUS MA CHÈRE, IL DOIT Y AVOIR ERREUR.

JE N'AVAIS PAS DE CONSULTATIONS AUJOURD'HUI, JE VAIS...

LA RENVOYER!! IL VA ÊTRE L'HEURE DU THÉ!

17-

JE SUIS NAVRÉ, MY LADY. IL A DÛ Y AVOIR MÉSENTENTE. À MOINS D'UNE URGENCE ABSOLUE, JE NE PEUX VOUS RECEVOIR AUJOURD'HUI.

EN REVANCHE, L'UN DE MES CONFRÈRES...

JE CONNAIS LE DOCTEUR WALTERS, MAIS CE N'EST PAS L'AIDE DE L'HOMME DE SCIENCE QUE JE VIENS CHERCHER.

VRAIMENT ? MAIS ALORS QUE ME VOULEZ-VOUS ?

UNE RECOMMANDATION. AUPRÈS D'UNE AUTRE DE VOS CONNAISSANCES...

UN MARIN À LA JAMBE DE BOIS.

SORTEZ DE MA MAISON !

JE N'Y SUIS MÊME PAS ENCORE ENTRÉE, CHER DOCTEUR. LA NUIT TOMBE ET LE FROID SE FAIT MORDANT...

ALLONS, NE VOUS FAITES PAS PRIER. ACCORDEZ-NOUS QUELQUES INSTANTS.

.../!

EN ÉCHANGE...

...JE VOUS PROMETS QUE PERSONNE NE SAURA QUE JE SUIS VENUE CHEZ VOUS !

J'ADMETS QUE C'EST FASCINANT.

CE QUE VOTRE MARI A DÉCOUVERT...

CETTE CITÉ ! C'EST FABULEUX, C'EST...

ALORS C'EST OUI ?

ALORS C'EST NON. VOUS N'AVEZ PAS LA MOINDRE IDÉE DE CE À QUOI VOUS VOUS EXPOSEZ.

CROYEZ-MOI, QUEL QUE SOIT VOTRE PROBLÈME, CE FORBAN NE POURRA PAS EN ÊTRE LA SOLUTION. IL SE MÉFIE DE TOUT ET DE TOUS. AVEC LUI, LES CURIEUX ONT LES YEUX CREVÉS, LES BAVARDS, LA LANGUE ARRACHÉE ...

AUCUN D'EUX NE S'EMBARQUERAIT SI L'ON ÉVOQUAIT LE NOM DE NOTRE MARIN DANS L'ÉQUIPAGE.

JE VOUS ASSURE QUE VOUS NE VOULEZ PAS CONNAÎTRE CET HOMME.

C'EST AMUSANT... À VOUS ENTENDRE LE DÉNONCER, ON FINIRAIT PAR CROIRE QU'IL VOUS FASCINE.

PARDON ?

MA CHÈRE ELSIE M'A RACONTÉ CETTE HISTOIRE QUE VOUS AURIEZ VÉCUE À BORD DE L'"HISPANIOLA".

C'EST INCROYABLE CE QU'ONT FAIT VOS AMIS À LEUR RETOUR.

LE CAPITAINE SMOLETT QUI REPART POUR UN TOUR DU MONDE, LE CHEVALIER DE TRELAWNEY QUI MEURT DE TROP DE PLAISIR, ET LE JEUNE HAWKINS QUI DEVIENT UN SI GRAND MARIN.

19-

BIEN SÛR, VOUS AVEZ EU VOTRE COTTAGE, VOTRE MARIAGE...

MAIS JE ME SUIS DIT QUE VOUS AURIEZ PEUT-ÊTRE ENVIE DE REVOIR CE MARIN.

JE ME TROMPAIS, SANS DOUTE.

EXACTEMENT... JE N'AI NI ENVIE DE REVOIR CE MISÉRABLE NI ENVIE QU'IL VOUS COUPE LE NEZ! ALORS OUBLIEZ JUSQU'À SON EXISTENCE ET RENTREZ CHEZ VOUS. QUAND VOTRE MARI RENTRERA, IL VOUS COUVRIRA D'OR.

QUAND IL RENTRERA, IL ME TUERA...

"..? MAIS POURQUOI DIABLE?

PARCE QUE JE SUIS ENCEINTE, DR LIVESEY.

PRÉSENTEZ-MOI CE MARIN À LA JAMBE DE BOIS. VOUS POURREZ ENSUITE REPRENDRE VOTRE VIE. VOUS N'ENTENDREZ PLUS JAMAIS PARLER DE LUI NI DE MOI. JE VOUS EN SUPPLIE, DOCTEUR, AIDEZ-MOI !

DE TOUTE FAÇON, JE DEVAIS ALLER À BRISTOL CE MOIS-CI. JE FERAI AVANCER MES RENDEZ-VOUS.

JE VOUS ATTENDS DEMAIN, À LA PREMIÈRE HEURE.

EH BIEN, MERCI, MA CHÈRE ELSIE. GRÂCE À VOUS, NOTRE VOYAGE S'ANNONCE SOUS LES MEILLEURS AUSPICES.

"NOTRE" VOYAGE, MY LADY?

ET QUI ME SERVIRA MON BAIN À BORD? UN MATELOT?

ET... ...ET MON FILS !

SA MÈRE VA DEVENIR RICHE! QUE DEMANDER DE PLUS ?

TRAÎNÉE !!

SHRRRR

ÇA TE FAIT JOUIR QUE JE LAISSE OLIVER ! T'AIMES ÇA, L'ENTENDRE PLEURER, HEIN ?!

MAIS JE VAIS TE FAIRE CREVER, MOI !!

ET SI C'EST PAS LES COUPE-JARRETS QUI S'OCCUPENT DE TOI, JE TE FERAI PASSER LA CORDE AU COU PAR TON CAPITAINE !!

ET QUAND ELLE SERA PLUS LÀ, BYRON, JE TE FERAI RECONNAÎTRE TON BÂTARD ! FAIS-MOI CONFIANCE...

JE SUIS TRÈS INQUIÈTE POUR ELLE, CAPITAINE.

LA VIE À BORD D'UN NAVIRE EST SI DURE, ET MY LADY EST SI FRAGILE.

JE COMPRENDS VOTRE PRÉOCCUPATION, MADAME, MAIS JE NE FAIS QUE RESPECTER SON DÉSIR.

ELLE N'EST PLUS VRAIMENT ELLE-MÊME, VOUS SAVEZ. JE CRAINS QU'ELLE NE FASSE QUELQUES ERREURS QUI MENACENT NOTRE VOYAGE ET...

PLUS UN MOT, MADAME !!

LA MÉDISANCE EST PIRE QUE LA TEMPÊTE. À MON BORD, JE N'ENTENDS QU'UN SON : CELUI DES PREUVES IRRÉFUTABLES !

LIEUTENANT DANTZIG, À BRISTOL !

QUE VOUS DISAIT LE CAPITAINE, ELSIE ?

IL EST DÉSOLÉ, MY LADY. IL A DÛ VENDRE LE PORTRAIT DE VOTRE CHAMBRE...

-21

QUE SAVEZ-VOUS VRAIMENT DE CES FORBANS, DOCTEUR ?

JE N'ENTENDS PARLER QUE DE CHASSES EXTRAORDINAIRES, DE COUPS FAITS AUX ESPAGNOLS, SANS OUBLIER CES RICHESSES RAPPORTÉES DES MERS DU SUD...

QU'Y A-T-IL DE VRAI SUR CES PIRATES ?

ON SAIT COMMENT ILS FINISSENT.

ET CE NE SONT PAS DES CHRÉTIENS ! RIEN QUE DES MUTINS, DES VOYOUS QUI N'ONT FOI EN RIEN !

AU MOINS NOUS FRÉQUENTONS LA MÊME ÉGLISE...

ALORS FAITES-LEUR UN SERMON CONVAINCANT. PARCE QUE POUR EUX, VOUS SEREZ UN PARTENAIRE...

...OU UN MOUCHARD. IL N'Y A PAS D'AUTRE ALTERNATIVE.

N'EST-CE PAS À VOUS DE LEUR PARLER ?! VOUS...VOUS LES CONNAISSEZ BIEN, JE...

QUAND ON VEUT L'AIDE DU DIABLE, ON LUI DEMANDE EN PERSONNE, MY LADY.

MONTREZ-MOI DONC VOTRE ENFER, DOCTEUR.

22-

UN SOUPÇON DE CORIANDRE SUR UN VENT DE POIVRE. NE LES NÉGLIGEZ JAMAIS !

OUBLIEZ LA CORIANDRE, MALHEUREUX !

ET C'EST TOUT LE BOUCAN DE COCHON QUI PERD SA POÉSIE...

MAIS QU'ON NE S'Y TROMPE PAS ! PEU IMPORTENT LE LARD FUMANT ...

...LE FRÉTILLEMENT DU PORTO, PEU IMPORTENT LES INGRÉDIENTS ET LA RECETTE ! UN BON PLAT, C'EST D'ABORD VOTRE POÉSIE.

MOI, JE NE SUIS QU'UN MODESTE GUIDE À VOTRE PLAISIR ...

EH BIEN, QU'ATTENDEZ-VOUS, CHER DOCTEUR, ON DIRAIT UNE POULE DEVANT UN RENARD.

PRÉSENTEZ-MOI VOTRE CHARMANTE COMPAGNIE ...

23 -

JE NE VAIS PAS LA MANGER...

UNE VIEILLE COUTUME, MY LADY...

J'ESPÈRE QUE VOUS PARDONNEREZ LE CÔTÉ THÉÂTRAL, MAIS ILS EN RAFFOLENT.

ILS ADORENT LES SPECTACLES...

JOHN SILVER,
LONG JOHN POUR LES INTIMES, POUR VOUS SERVIR, MY LADY.

24

DIGNES DE CONFIANCE ? MY LADY, JE VOUS PROMETS LA MEILLEURE PALANQUÉE DE MARINS DE TOUT BRISTOL ! SUR MA FOI, TOUS ONT DÉJÀ VAINCU LE HORN !

LES LAMES DES TEMPÊTES LES FONT RIRE, LES HAUTS VENTS LES RÉJOUISSENT. CROYEZ-MOI, DE VOTRE NAVIRE ILS FERONT UN VRAI CARROSSE.

NON, NE VOUS INQUIÉTEZ PAS, MY LADY. CEUX-LÀ ONT PEUT-ÊTRE DES TROGNES DE FOND DE CACHOT, MAIS J'EN RÉPONDS COMME DE MES FRÈRES. PARLEZ DEVANT EUX COMME DEVANT MOI -

VOUS NE PRENEZ RIEN ?

JE N'AI PAS ÉTÉ SERVIE.

ET VOUS NE LE SEREZ PAS, MY LADY.

ICI, CHACUN EST MAITRE DE SON ASSIETTE.

VOUS NE TROUVEREZ PAS MEILLEUR GABIER QUE MR BONJET... LA MURÈNE POUR LES AMIS. DIEU VEILLE AU VENT, LA MURÈNE VEILLE AUX VOILES, NOTRE CHAPERON EN QUELQUE SORTE ...

MONSIEUR SANG NOIR, CONTREMAITRE DE PONT. LES HOMMES LUI OBÉISSENT AU DOIGT ET À L'OEIL, LITTÉRALEMENT DEPUIS QU'UN PYTHON LUI A MANGÉ LA LANGUE ...

MR OLAF, NOTRE "GRISOU" CHEF CANONNIER, INVENTEUR DU BOULET RAMÉ ET FOSSOYEUR EN UNE SEULE BORDÉE DU FRANÇAIS "L'INTRÉPIDE".

ET JE FINIS PAR NOTRE SAINT HOMME. NOTRE GARDIEN DE CONFIANCE. SI VOUS PRÉFÉREZ, LE PÈRE LA BUSE. MAITRE CHARPENTIER QUI NOUS A REJOINTS APRÈS AVOIR OEUVRÉ DANS LA MOITIÉ DES ÉGLISES DU PAYS.

25-

ET JE SUIS JACK KIEF, MY LADY. LE PREMIER COMMIS DE CUISINE.

ET QUI Y RESTERA

JE SUIS TRÈS IMPRESSIONNÉE, MR SILVER, VOUS ÊTES SI BIEN ENTOURÉ. SEUL UN HOMME DE GRANDE VALEUR PEUT ATTIRER AUTANT DE TALENTS AUTOUR DE LUI. JE COMPRENDS D'AUTANT MOINS CETTE RUMEUR À VOTRE SUJET, CETTE HISTOIRE DE...

PIRATES ?

DE BIEN GRANDS MOTS POUR DE PETITES ERREURS DE JEUNESSE, MY LADY. MAIS VOUS FAITES BIEN DE CREVER L'ABCÈS... OUI, J'AI SERVI LE CAPITAINE FLINT, MAIS COMMENT AURAIS-JE PU SAVOIR QU'IL ÉTAIT MAUVAIS HOMME ? IL M'A FAIT PERDRE UNE JAMBE, N'EST-CE PAS SUFFISAMMENT PAYÉ ?

ALLONS, DOCTEUR, DITES-MOI, VOUS QUI ÊTES UN BON CHRÉTIEN...

JE SUPPOSE QUE OUI, SILVER...

VOUS VOYEZ ? LA RUMEUR EST ENTERRÉE ! NOUS SOMMES LES HOMMES QU'IL VOUS FAUT.

IL SUFFIRAIT DE NOUS EN DIRE UN PEU PLUS...

TRÈS BIEN, VOILÀ UNE HISTOIRE QUI M'A ÉTÉ RABÂCHÉE MILLE FOIS...

UNE HISTOIRE VIEILLE DE TROIS SIÈCLES.

ELLE COMMENCE PRÉCISÉMENT EN L'AN DE GRÂCE 1522. FRANCISCO PIZARRO EST AUX AMÉRIQUES.

LE CONQUISTADOR EST AUX ABOIS. SES HOMMES RONGÉS PAR LA FIÈVRE, LA FAIM AU VENTRE, IL EST CONTRAINT DE S'ASSOCIER AU DÉTENTEUR DE LA FOI ET DE LA DOCTRINE DE PANAMA, LE MOINE FERNANDO DE LUQUE, FERNANDO "EL LOCO" POUR LES INDIENS.

FERNANDO LE FOU...

LE MOINE A TRAVERSÉ LES OCÉANS POUR TROUVER L'OR DES INDIGÈNES ET L'OFFRIR À SON DIEU. PUISQUE LA FOI GUIDE SON BRAS...

PEU IMPORTENT LES MOYENS...

BIENTÔT, L'ARGENT COULE À FLOTS DES MINES DU POTOSI...

L'OR D'ATAHUALPA REMPLIT LES COFFRES ET LES TEMPLES DE PIZARRO ET LUQUE, MAIS LA SOIF DE RICHESSES DU MOINE EST INSATIABLE.

27

Lauffray 06

POUR LUI, LES INDIENS NE DONNENT QUE DES MIETTES DE LEURS RICHESSES AFIN DE MIEUX CACHER LE VÉRITABLE TRÉSOR.

EST-CE UN AVEU OU UN MOYEN DE FAIRE CESSER L'HORREUR, NUL NE LE SAIT, MAIS L'INCA XIXAMAL RÉVÈLE QUE L'OR QUI EMPLIT LES RÊVES DE LUQUE EXISTE BEL ET BIEN.

PERDU DANS L'IMMENSITÉ DE L'ORÉNOQUE ET DU FLEUVE DES AMAZONES, CET OR EST LE VESTIGE OUBLIÉ D'UN EMPIRE QUI FUT PLUS PUISSANT QUE LE PÉROU.

XIXAMAL ÉVOQUE UNE CITÉ AUX MILLE RICHESSES OÙ LES DIAMANTS ONT REMPLACÉ LE ROC, OÙ LE ROI GUYANACAPAC SE COUVRE CHAQUE JOUR D'UN BAUME D'OR AUX MILLE EFFLUVES. UNE CITÉ OÙ RÔDENT DES HOMMES SANS TÊTE, DES YEUX SUR LES ÉPAULES ET UNE BOUCHE SUR LA POITRINE ...

DE LUQUE OMET CETTE PARTIE DE L'HISTOIRE ET RÉUSSIT SANS PEINE À CONVAINCRE PIZARRO DE LUI CONFIER DEUX CENT DIX HOMMES POUR RETROUVER GUYANACAPAC.

AUCUN NE REVINT...

JE NE SAIS PAS QUAND MON MARI S'EST ENTICHÉ DE CETTE HISTOIRE. MAIS IL Y A TROIS ANS, UN PRÊTRE CHARGÉ DU SAINT-OFFICE ESPAGNOL LUI A PROPOSÉ UNE CARTE MAYA APPAREMMENT IDENTIQUE À CELLE UTILISÉE PAR DE LUQUE.

BYRON A VENDU LA MOITIÉ DE MES TERRES POUR RACHETER LE PARCHEMIN. IL L'A DÉCHIFFRÉE PENDANT DES MOIS ET IL EST PARTI POUR LES AMÉRIQUES. JE L'AI D'ABORD CRU FOU, PUIS JE L'AI ESPÉRÉ MORT, J'AVAIS TORT. IL VIENT DE ME FAIRE PARVENIR UNE LETTRE.

IL A TROUVÉ GUYANACAPAC.

BIEN SÛR... OÙ IL A LA CABOCHE FÊLÉE! SI CES TYPES NE SONT PAS REVENUS, C'EST PEUT-ÊTRE PARCE QU'IL Y AVAIT RIEN À TROUVER!

FAUT ÊTRE FOU POUR ÉCOUTER CES CONTES DE BONNES FEMMES.

QUOI?! OSERIEZ-VOUS TRAITER DE FOU, JUAN DE SOLIS, DÉCOUVREUR DE L'ESTUAIRE DE LA PLATA, SÉBASTIEN CABOT QUI A REMONTÉ LE RÍO DE LA PLATA ET LE PARAGUAY OU ENCORE JIMÉNEZ DE QUESADA, ANTONIO DE BERRI OU LE BASQUE DON LOPE DE AGUIRRE!?

TOUS CROYAIENT EN L'ELDORADO.

ET COMBIEN ONT FINI EN PETITS MORCEAUX DANS LE VENTRE D'UN SAUVAGE?

ALLONS! MES AMIS, NOUS VOTERONS NOTRE DÉCISION PLUS TARD.

VOYONS PLUTÔT COMMENT VENIR AU SECOURS DE NOTRE CHÈRE LADY HASTINGS...

29-

LE CAPITAINE SHARP DOIT TROUVER ET AFFRÉTER UN NAVIRE DANS LES JOURS À VENIR. ARRANGEZ-VOUS POUR FAIRE PARTIE DE L'ÉQUIPAGE.

ATTENDEZ QUE L'EXPÉDITION AIT ATTEINT GUYANACAPAC AVANT DE TENTER QUOI QUE CE SOIT. C'EST NOTRE SEULE CHANCE D'ARRIVER AU BOUT DE NOTRE VOYAGE.

UNE FOIS LÀ-BAS, VOUS SEREZ EN MINORITÉ. IL VOUS FAUDRA OEUVRER DISCRÈTEMENT ET SANS VERSER LE SANG.

À CETTE CONDITION, VOUS PRENDREZ CE QUE BON VOUS SEMBLE, CE SERA VOTRE PRIX. LA MOITIÉ M'EN REVIENDRA. VOUS ME RAMÈNEREZ SUR LE CONTINENT ET NOUS OUBLIERONS QUE NOS ROUTES SE SONT CROISÉES.

HMM... DANS LE CAS OÙ LA DISCRÉTION NE SERAIT PLUS DE MISE, POUR VOTRE MARI OU LES RÉCALCITRANTS, QUE FERIONS-NOUS ?

LE NÉCESSAIRE...

ET SI ON DÉCIDE D'EMBLÉE DE FAIRE À NOTRE MANIÈRE ? ON AURA QUOI, UN BLÂME ?

JE VOUS DÉNONCERAI... ET VOUS FINIREZ PENDUS À LA GRANDE VERGUE...

ET VOUS NOUS Y REJOINDREZ !! POUR LE CAPITAINE, ON SERA DANS LE MÊME SAC !

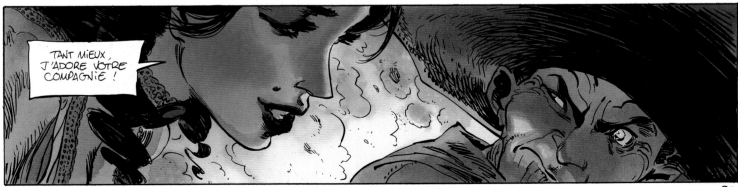

TANT MIEUX, J'ADORE VOTRE COMPAGNIE !

30-

ENTREZ, DOCTEUR, ASSEYEZ-VOUS.

TOUJOURS À DÉFENDRE LA VEUVE ET L'ORPHELIN, À CE QUE JE VOIS.

LADY HASTINGS EST COMPLÈTEMENT FOLLE, SILVER. ELLE NE SE REND ABSOLUMENT PAS COMPTE DE CE QU'ELLE FAIT. REFUSEZ SON OFFRE.

VOUS M'AVEZ TOUJOURS DÉCONCERTÉ, DOCTEUR. COMBIEN DE TEMPS S'EST-IL ÉCOULÉ DÉJÀ... 15 ANS, 20 ANS ?...

PUIS VOUS RESURGISSEZ DU PASSÉ ACCOMPAGNÉ D'UNE JEUNE FEMME. VOUS ME DEMANDEZ ASSISTANCE POUR LE PLUS FASCINANT DES PROJETS !..

MAIS VOILÀ QUE JE DOIS Y RENONCER. EXPLIQUEZ-MOI UN PEU ÇA...

DE PLUS, VOUS M'AVIEZ L'AIR PLUTÔT ENTHOUSIASTE, TOUT À L'HEURE...

JE...JE NE FAISAIS QUE RÉTABLIR DES VÉRITÉS HISTORIQUES ! MA VENUE ICI N'ÉTAIT DESTINÉE QU'À EFFRAYER UNE LADY EN MANQUE DE SENSATIONS FORTES ! JAMAIS JE N'AURAIS CRU QU'ELLE IRAIT JUSQUE-LÀ.

FORT HEUREUSEMENT, IL EST ENCORE TEMPS DE TOUT ARRÊTER.

IL EST BIEN TROP TARD, AU CONTRAIRE DOCTEUR. CETTE AFFAIRE M'A ÉTÉ CONFIÉE DANS LES RÈGLES.

CETTE LADY PEUT COMPTER SUR L'AIDE DE LONG JOHN SILVER.

À MON TOUR D'ÊTRE CLAIR, SILVER. SI VOUS APPROCHEZ À MOINS D'UN KILOMÈTRE DU NAVIRE, PRÉPAREZ-VOUS À ACCUEILLIR UNE COMPLÈTE GARNISON ALERTÉE PAR MES SOINS !

JE NE SERAI PAS COMPLICE D'UN ACTE DE PIRATERIE !

VOUS SAVEZ QUE JE NE PLAISANTE PAS.

GNN...

SILVER ? SILVER ?!

31 -

ARHH...ÇA... ÇA VA LIVESEY... LAISSEZ-MOI !...

SILENCE, BON DIEU ! CETTE FIÈVRE, CES SAIGNEMENTS, C'EST LA PREMIÈRE FOIS QUE ÇA VOUS ARRIVE ?!

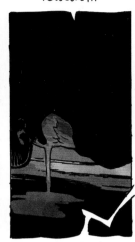

PANIQUEZ PAS, DOC, J'EN AI VU D'AUTRES. LAISSEZ-MOI SOUFFLER UN MOMENT ÇA VA PASSER. ÇA PASSE TOUJOURS !...

QUAND LA MALARIA CESSE, C'EST AVEC LA MORT, LONG JOHN, ET VOUS LE SAVEZ ! VOUS AVEZ CONTRACTÉ LE MAL QUI AVAIT TERRASSÉ VOS HOMMES SUR L'ÎLE DE FLINT !

JE N'AI QUE FAIRE DE VOTRE SOLLICITUDE, DOCTEUR ! IL FAUDRA TROUVER AUTRE CHOSE POUR ME CLOUER AU SOL ! ALLEZ ! VOUS AVEZ VRAIMENT CRU QUE CE BARATIN ALLAIT M'EMPÊCHER D'EMMENER VOTRE DEMOISELLE EN VOYAGE ?

DU BARATIN ? VOUS DÉPASSEZ LES BORNES, SILVER ! VOUS VOULEZ CREVER, ALLEZ-Y, MAIS JE NE ME LAISSERAI PAS INSULTER PAR UNE CRAPULE DE VOTRE ESPÈCE !

ÇA VOUS VA BIEN DE PARLER DE CRAPULE. JE VOUS RAPPELLE QUE C'EST VOUS QUI VENEZ ICI MONTER UN ACTE DE PIRATERIE.

CE N'EST PAS MOI QUI SUIS VENU VOUS CHERCHER, LIVESEY_

VOUS, UN NOTABLE RESPECTÉ AINSI RÉDUIT À DE TELS ÉGAREMENTS... D'APRÈS VOUS, QUELLE CRAPULE IRA TÂTER DU GIBET ?

FINALEMENT, JE CRAINS QUE VOUS NE SOYEZ ARRÊTÉ, VOIRE MÊME PENDU AVEC NOUS AUTRES, TOUT FARDÉ QUE VOUS ÊTES...

EH OUI, IL EST TROP TARD DOCTEUR. DEPUIS L'INSTANT OÙ VOUS AVEZ PASSÉ MA PORTE...

VOUS ÊTES, AINSI QUE CETTE CHÈRE LADY HASTINGS, MES COMPLICES DE FORTUNE... COMME D'INFORTUNE...

FAITES-MOI CONFIANCE! CE RAFIOT, C'EST LA FOUDRE DES MERS !...

POUR VOTRE PRIX, MESSIEURS, VOUS NE TROUVEREZ PAS MIEUX !

IL SEMBLERAIT QUE NOUS N'AYONS PAS ASSEZ DE FONDS POUR NOTRE EXPÉDITION, MR DANTZIG...

À MOINS D'AFFRÉTER UNE BARQUE, JE NE PEUX QUE VOUS DONNER RAISON, CAPITAINE...

PUIS-JE ME RISQUER À UNE QUESTION DE VOUS À MOI, CAPITAINE ?

RISQUEZ-VOUS.

POURQUOI NE PAS INVESTIR DE VOS DENIERS POUR FINANCER CE QUI NOUS MANQUE ?

MON CHER DANTZIG, JE VIS UNE ÉPOQUE OÙ LA SEULE NOBLESSE QU'ON LAISSE AUX MIENS EST CELLE DU SANG. JE SUIS NÉ AVEC LA TRADITION DE MES ANCÊTRES MAIS SANS LA FORTUNE DES BOURGEOIS. ET LA SOLDE DE L'AMIRAUTÉ N'EST QUE PEU DE CHOSE.

ATTENTION!!!

BLOODY HELL!

QUE SIGNIFIE CET OUTRAGE ! SORTEZ ! MONTREZ-VOUS !

VOUS CHERCHEZ UN BRIGANTIN ET UN ÉQUIPAGE, MESSIEURS ?

COMMENT... COMMENT LE SAVEZ-VOUS ?

HA HA MES SEIGNEURS, MAIS TOUT LE MONDE LE SAIT.

EN REVANCHE, MOI SEUL POSSÈDE LE "NEPTUNE".

33-

L'AFFAIRE EST CONCLUE.

DÈS APRÈS-DEMAIN, MR SAMIR RAZIL NOUS FOURNIRA UN BRIGANTIN DE 500 TONNEAUX ET LA MOITIÉ DE L'ÉQUIPAGE.

ET POUR CE QUI EST DU RESTE ?

POUR L'AUTRE MOITIÉ, LE CAPITAINE A DÛ RAPPELER BEAUCOUP DE NOS ANCIENS COMPAGNONS DE MARINE ET PLUSIEURS M'ATTENDENT EN VILLE.

UNE DERNIÈRE CHOSE, GENTLEMEN. JE VOUS LAISSE CET INDIEN DE MALHEUR! MON AUBERGE NE VEUT PLUS EN ENTENDRE PARLER...

HA HA, ENTENDU!

BONNE NUIT, MY LADY.

BONNE NUIT, ELSIE.

CLAC !

LES RÈGLES SONT SIMPLES.

!

NOUS VOUS LAISSERONS UN TIERS DU BUTIN. TANT QUE VOUS AUREZ UN PONT SOUS LES PIEDS, VOUS M'OBÉIREZ COMME À VOTRE MÈRE.

ET IL EST INTERDIT DE BATIFOLER À BORD. LE PREMIER QUI S'Y RISQUERA SERA CLOUÉ AU MÂT. EST-CE CLAIR ?

ALLONS, MR SILVER ! INUTILE DE MONTER SUR VOS GRANDS CHEVAUX!... JE SUIS SÛRE QUE...

NON

RANGEZ VOS DENTS BLANCHES, MY LADY, CE N'EST PAS NÉGOCIABLE.

34-

MON DIEU, ELLE L'A FAIT.

ELLE A SIGNÉ.

PSST...

MES HOMMAGES, DOC...

DITES, C'EST MAL FAMÉ PAR ICI. À PART SE PRENDRE UN MAUVAIS COUP, IL N'Y A PAS GRAND-CHOSE À FAIRE.

J'AI PRÉVENU SILVER, MR BONNET. IL SAIT À QUOI S'EN TENIR. SI VOUS ÊTES LÀ POUR ME TUER, FAITES-LE MAINTENANT. PARCE QUE J'AI BIEN L'INTENTION D'INFORMER LA GARDE ROYALE DE CE QUI SE TRAME ICI.

ALLONS DOC, SILVER VOUS ADORE. ET PUIS S'IL ARRIVAIT UN ACCIDENT À UN HOMME TEL QUE VOUS, IL Y AURAIT DES QUESTIONS, UNE ENQUÊTE. AVANT NOTRE DÉPART, ÇA FERAIT MAUVAIS GENRE.

PAR CONTRE, SI LA GARDE ROYALE VENAIT À CONNAÎTRE NOS AFFAIRES, ON NE DONNERAIT CERTES PAS CHER DE NOTRE PEAU ...

...OU DE CELLE DE LA BELLE LADY.

ALLEZ-Y DOC, SOYEZ CITOYEN ET DEMAIN VOUS SEREZ DANS VOTRE COTTAGE, LA CONSCIENCE TRANQUILLE ET LE DEVOIR ACCOMPLI.

TANDIS QUE NOUS ACHÈVERONS DE POURRIR DANS CES CAGES EN COMPAGNIE DE CETTE CHÈRE AMIE QUE VOUS NOUS AVEZ SI GENTIMENT PRÉSENTÉE.

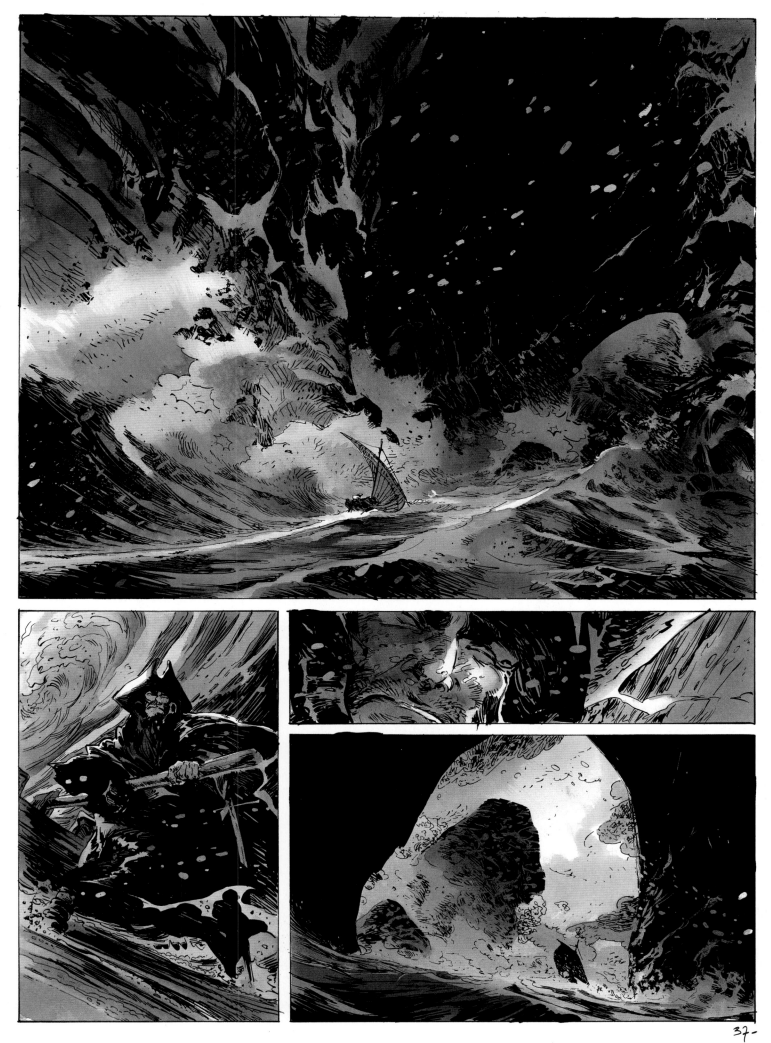

J'AIME PAS TE VOIR COMME ÇA, SILVER, JE TE FAIS UNE FAVEUR : 60 LIVRES POUR LES QUATRE.

MAIS...

NE ME REMERCIE PAS, C'EST EN SOUVENIR DU BON VIEUX TEMPS.

MIEUX VAUDRAIT NE PAS FAIRE ATTENDRE MON PETIT PLAT, AVEC LE VOYAGE, LA NEIGE ET...

JE N'AI PAS CONFIANCE, SAMIR.

TOUT EST SOUS CONTRÔLE, KALEM, MON VIEIL AMI EST VENU SEUL ET SANS ARMES... TU NE VOUDRAIS TOUT DE MÊME PAS M'EMPOISONNER AVEC TES BROCHETTES, JOHN ?

MAIS JE COMPTE BIEN EN PRENDRE AVEC TOI !

À LA BONNE HEURE...

VOICI 50 LIVRES... LE RESTE EST POUR MA TAXE.

80 BARILS, SACRÉE CARGAISON ! ET TOUT ÇA EN UNE FOIS ?

ÇA T'ÉPATE, HEIN ?! EH OUI, J'AI DÉNICHÉ "LE" FILON : UN DÉNOMMÉ HASTINGS. IL M'A AFFRÉTÉ LE "NEPTUNE" POUR UN ALLER-RETOUR AUX AMÉRIQUES. DU CLASSIQUE. MAIS LÀ OÙ C'EST JUTEUX, C'EST QUE MON PIGEON EST CAPITAINE DE SA MAJESTÉ. DONC PAS DE CONTRÔLE DU NAVIRE, NI AU DÉPART NI À L'ARRIVÉE. CE CRÉTIN VA PAYER SA TRAVERSÉE AU PRIX FORT ET EN PLUS, IL VA JOUER LES PASSE-DROITS SANS MÊME S'EN RENDRE COMPTE !

JE VAIS MÊME EN PROFITER POUR ME FAIRE UN PETIT PLAISIR. JE RAMÈNERAI UN CHARGEMENT DE NÈGRES AU RETOUR DES AMÉRIQUES.

EH OUI ! IL FAUT QUE JE RENTABILISE ! LES VOLONTAIRES POUR CE GENRE DE VOYAGE, ÇA DEMANDE DES FORTUNES ET ÇA COURT PAS LES RUES. CEUX D'ICI SONT TOUT JUSTE BONS POUR LE CABOTAGE, RIEN DE PLUS ! MAIS J'AI FINI PAR TROUVER DU MONDE.

!..

DIS-MOI, SAMIR, IL TE MANQUERAIT PAS UN CUISTOT ?...

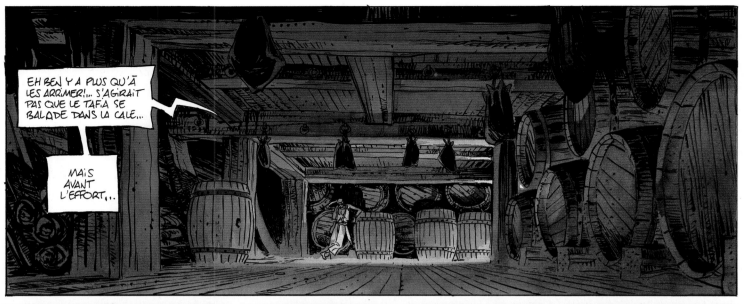

SILVER, SILVER... MON AMI. IL Y A UN TEMPS POUR TOUT ET HÉLAS, LE TIEN EST PASSÉ...

...MAIS NON, JE...JE SUIS DANS LE COUP. C'EST QUE J'AI UNE SACRÉE ÉQUIPE AVEC MOI ! DES VRAIS FIDÈLES.

TU CONFONDS FIDÉLITÉ ET PITIÉ.

TON GROUPE DE LOQUETEUX...

...NE SERAIT PAS FICHU D'ÉGORGER UNE POULE.

CE QU'ON VA T'OFFRIR...

...C'EST UNE PLACE À L'HOSPICE.

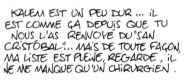

KALEM EST UN PEU DUR... IL EST COMME ÇA DEPUIS QUE TU NOUS L'AS RENVOYÉ DU "SAN CRISTÓBAL"... MAIS DE TOUTE FAÇON, MA LISTE EST PLEINE, REGARDE, IL NE ME MANQUE QU'UN CHIRURGIEN.

TU BOIS TROP POUR UN MUSULMAN, SAMIR. TU N'ARRIVES MÊME PLUS À VOIR QU'IL TE MANQUE UNE DIZAINE DE BONS MARINS. MAIS COMME TU M'AS FAIT UNE "FAVEUR", JE VAIS TE DONNER DES NOMS.

TU SAIS, EN CAS DE PÉPIN, ILS PEUVENT FAIRE LA DIFFÉRENCE, ET UN MALHEUR EST SI VITE ARRIVÉ !

TU...TU ME MENACES, VIEUX SÉNILE ! JE VAIS TE...

42.

LA FÊTE EST FINIE, POURRITURES !!

ALLONS BON, V'LÀ QUE LES SINISTRES VEULENT GÂCHER LA FÊTE...

TU CRÈVERAS AVEC LUI, LONG-JOHN !!

J'AI PLUS DE DIX HOMMES QUI T'ATTENDENT! TU SORTIRAS JAMAIS D'ICI !

C'EST GENTIL DE T'INQUIÉTER POUR TON VIEUX SILVER, MAIS À TA PLACE, JE SONGERAIS À LA MAIN QUI ME RESTE. JE TE PROMETS DE TE LA LAISSER SI TU ME FAIS PROFITER DE TON ÉCRITURE INIMITABLE...

AVEC UNE LISTE DE NOUVEAUX MEMBRES D'ÉQUIPAGE POUR LE CAPITAINE HASTINGS...

HARDI LES GARS !

OH NON...

44-

EH BIEN, VOILÀ! C'ÉTAIT PAS SI COMPLIQUÉ QUE ÇA. T'EN FAIS DES HISTOIRES POUR RIEN.

TU AS EU CE QUE TU VOULAIS? ALORS LIBÈRE-MOI!

NON.

QUOI?! T'AVAIS PROMIS, SILVER! PROMIS!

PROMIS? AH, SATANÉE MÉMOIRE! C'EST POURTANT VRAI QUE J'AI PLUS 20 ANS, SAMIR, VOILÀ QUE J'OUBLIE TOUT...

SILVER! SILVER!

MONROE ET LES AUTRES SONT LÀ! LE "NEPTUNE" EST À NOUS!

IL SERA LIVRÉ À TEMPS À BRISTOL...

QUE FAIT-ON DES HOMMES DE SAMIR?

QU'ILS REJOIGNENT CE NÉGRIER EN ENFER.

QU'EST-CE QUI LUI PREND? JE CROYAIS QU'IL L'AIMAIT BIEN, LE SAMIR?...

PEUT-ÊTRE, MAIS AVEC SILVER, Y A UNE RÈGLE...

JAMAIS D'ESCLAVES, JAMAIS.

45-

BIENVENUE À BORD, CAPITAINE HASTINGS.

OLSON VAN HORN, MAÎTRE D'ÉQUIPAGE. ET VOICI MR SILVER, MAÎTRE-COQ À QUI MR RAZIL A CONFIÉ LA LISTE D'ENGAGEMENT DE L'ÉQUIPAGE.

MR RAZIL N'EST PAS LÀ?

MR RAZIL A DÛ SE RENDRE EN URGENCE À PORTSMOUTH. UNE DE SES GOÉLETTES EST ARRIVÉE DE MADÈRE AVEC UNE SEMAINE D'AVANCE. IL VOUS PRÉSENTE SES EXCUSES.

ET POUR LE NAVIRE ?

LIVRÉ CETTE NUIT PAR DES MARINS DE MR RAZIL, LE NAVIRE EST PRÊT POUR L'INSPECTION, CAPITAINE.

ÉQUIPAAAAGE!!
CAPITAINE SUR LE PONT !!

FAITES-MOI LA VISITE, MR VAN HORN. JE VEUX VOIR DE LA CALE À LA POMME DE MÂT. NOUS ALLONS SAVOIR CE QUE VALENT LES PROMESSES DE VOTRE EMPLOYEUR...

POURQUOI PARTIR ? ICI PARADIS...

46-

LESQUELS SONT DES VÔTRES, MR SILVER ?...

LA PLUPART SONT DES MARINS EMBAUCHÉS PAR VOTRE CAPITAINE...

...OU PAR SAMIR AVANT QUE JE LE VOIE.

CE N'EST PAS LA QUESTION QUE JE VOUS AI POSÉE.

C'EST MA RÉPONSE. LE MOINS VOUS EN SAUREZ LE MIEUX ÇA VAUDRA. POUR VOUS BIEN SÛR.

VOUS PLAISANTEZ !! EST-CE QUE VOUS OUBLIEZ QUE ...?

MY LADY, NOUS NE SOMMES PAS AU BOUT DE NOS PEINES !

LE DOUBLAGE RÉSINEUX EST TRÈS MINCE, LE MAILLETAGE MÉDIOCRE ET LA CAPACITÉ DE STOCKAGE NE PARAIT PLUS QUE LIMITÉE !

SI CE N'ÉTAIT POUR LE SALUT DE BYRON, JAMAIS JE NE M'ABAISSERAIS À COMMANDER UNE TELLE COQUE DE NOIX !

J'AI NÉANMOINS DONNÉ L'ORDRE DE CHARGER LES VIVRES ET D'APPAREILLER DÈS QUE POSSIBLE. ÊTES-VOUS SATISFAITE, MA CHÈRE ?

OHH...

!...!

DOCTEUR LIVESEY !

MY LADY, MY LADY !

MY LADY !

JE DIRAI AU CAPITAINE QUE VOUS AVEZ PRIS UN COUP DE FROID. MAIS JE VOUS EN CONJURE UNE FOIS DE PLUS, MY LADY: ABANDONNEZ VOS PROJETS.

RESTEZ À TERRE QUEL QU'EN SOIT LE PRIX. VOTRE GROSSESSE NE SE PRÉSENTE PAS AUSSI BIEN QUE PRÉVU ET SUR UN NAVIRE CELA NE VA PAS S'ARRANGER.

PA... PASSEZ-MOI UN VERRE.

DE L'ALCOOL DANS VOTRE ÉTAT? CERTAINEMENT PAS!

DOCTEUR... IL N'Y AURA PAS DE CHIRURGIEN À BORD. LE CHARPENTIER REMPLIRA CET OFFICE. J'AI BESOIN DE VOUS. VENEZ AVEC MOI.

MAIS... MA FEMME... MES CONSULTATIONS, LE COTTAGE...

SOUFFRANCES...

!

QU'EST-CE QU'IL FAIT LÀ, LUI? VEUX-TU BIEN SORTIR?

EH BIEN? FAUT-IL QUE LE CAPITAINE T'ENTRAVE AUSSI LES PIEDS? ALLEZ, OUSTE!...

BUVEZ, FINIES SOUFFRANCES.

JE VOIS, VOUS VOUDRIEZ ME PROVOQUER, VOUS NE POURRIEZ MIEUX VOUS Y PRENDRE! MAIS JE SERAI DU VOYAGE. J'AI ÉTÉ ASSEZ SOT POUR VOUS LAISSER DÉMARRER CETTE HISTOIRE.

JE NE SERAI PAS LÂCHE AU POINT DE VOUS LAISSER LA CONCLURE.

MAIS ENFIN!

VOUS FAITES BIEN, MY LADY.

À BORD, CELA AURAIT ÉTÉ IMPOSSIBLE.

ENTREZ, MESDAMES, TOUT EST PRÊT.

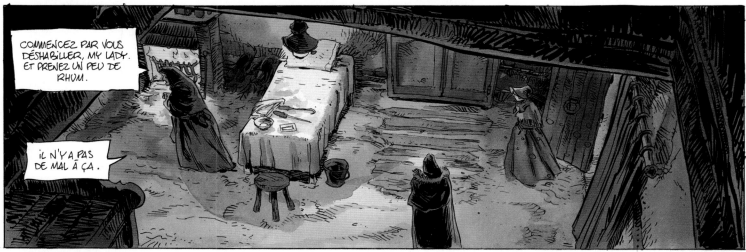

COMMENCEZ PAR VOUS DÉSHABILLER, MY LADY. ET PRENEZ UN PEU DE RHUM.

IL N'Y A PAS DE MAL À ÇA.

NOUS ALLONS FAIRE AU MIEUX ET TOUT VA BIEN SE PASSER.

JE VAIS PRÉPARER MES INSTRUMENTS. INSTALLEZ-VOUS.

MAIS?! MY LADY!

QUELLE PEUREUSE !

PEUREUSE ? QUAND JE LUI AI ARRACHÉ SON PREMIER, ELLE N'A PAS HURLÉ COMME LES AUTRES.

PAS UN CRI.

SON PREMIER?

SON MARI DÉTESTE LES ENFANTS.

ELLE S'ÉTAIT PLIÉE À SA VOLONTÉ.

MAIS PARFOIS IL SEMBLE QUE...

... À FORCE DE PLIER, CERTAINS ROSEAUX DEVIENNENT DES CHÊNES.

CROUiii... CROUii...

GRAISSE DE BALEINE, DEUX CUVES.

TAFIA, TROIS BARILS, DOUZE POULES.

CROU...

UN GALLON DE MÉLASSE DU QUÉBEC, UN... UN...

...NON...

PAS... PAS MAINTENANT...

CRASH!

DIS DONC, SILVER! ON VOIT QUE C'EST PAS TOI QUI NETTOIES!

PARIS?...

EH OUI, PARIS! TOUJOURS EN VIE! TOUJOURS FRINGANT! MÊME APRÈS LE "SAN CRISTÓBAL"! SURPRIS?...

MONSIEUR PARIS EST VENU À L'AUBERGE. IL A PROPOSÉ DE ME PRENDRE COMME MATELOT! ALORS JE LUI AI PARLÉ DU "NEPTUNE". ON VA VOYAGER ENSEMBLE.

TU N'Y ES PAS DU TOUT, PETIT. CE NAVIRE N'A NUL BESOIN, NI DE BLANC-BEC, NI DE JONAS.

JACK, QU'EST-CE QUE TU FOUS AVEC LE FRANÇAIS?

ET ENCORE MOINS DE VIEUX BOITEUX! C'EST FINI, SILVER! FAUT TENIR DEBOUT POUR DONNER DES ORDRES!

!!

51

MAIS NOUS ON NE DEMANDE QU'À T'AIDER, LONG JOHN ! ALLONS, LAISSE-NOUS VENIR SUR LE "NEPTUNE".

LA... LA LISTE D'EMBARQUEMENT EST PLEINE.

AHAH, MAIS VOILÀ QUI EXPLIQUE TOUT ! TU N'ES DONC PAS AU COURANT ? LEESON ET SILKIRK SE SONT... BRUTALEMENT DÉSISTÉS...

UN PROBLÈME, MR SILVER ?

RIEN QUE DES SOLUTIONS, CAPITAINE ! DEUX MARINS SE SONT PORTÉS ABSENTS. CEUX-LÀ SE PROPOSENT DE LES REMPLACER.

ET QU'EN PENSEZ-VOUS ?

JE RÉPONDS D'EUX COMME DE MOI-MÊME.

JEUNE HOMME, SAVEZ-VOUS FAIRE DES NŒUDS DE FILETS ET D'ÉCOUTES ?

MÊME LES YEUX BANDÉS, CAPITAINE !

ALORS VOUS VOILÀ CHARGÉ D'HARNACHER LES BARILS D'EAU.

T'AURAIS PAS DÛ TOURNER LA TÊTE DE CE GAMIN, PARIS.

MON CHER SILVER, S'IL M'ARRIVE QUOI QUE CE SOIT PENDANT MON VOYAGE, MON AVOUÉ REMETTRA TON ÉDIFIANTE BIOGRAPHIE À LA GARDE ROYALE.

SOIS PAS INQUIET, JE COMPTAIS PRENDRE SOIN DE TOI...

52—

MR DANTZIG, FAITES DONNER LA VOILE.

BIEN, CAPITAINE. MR BONNET, HISSEZ LA MISAINE!

TOUT DE SUITE, LIEUTENANT.

AMARRES LARGUÉES !

CAPITAINE À BORD!

HISSEZ LES FOCS ET DROIT AU VENT !

TCHÁC!! TCHÁC!!

HISSEZ, HISSEZ MES JOLIS ! JE M'EN VAIS VOUS CONCOCTER UN DE CES FAMEUX RAGOÛTS À L'ÉTOUFFÉE QUI ONT FAIT MON SUCCÈS...

VOUS M'EN DIREZ DES NOUVELLES.

LE PHILOSOPHE ANTONIN PRÉTENDAIT QU'ON NE POUVAIT CONNAÎTRE LA VÉRITÉ SUR UN HOMME QUE LORSQU'IL ÉTAIT SUR LE POINT DE PERDRE LA VIE. J'AI SUFFISAMMENT CÔTOYÉ LA MORT POUR SAVOIR QU'IL DISAIT VRAI.

ALORS, MON CHER ORPHÉE, COMMENT NE PAS TE L'AVOUER?.. EN CES INSTANTS DE DÉPART, J'AVAIS HONTE.

HONTE DE CE BRASIER DE CURIOSITÉ QUI M'ÉTREIGNAIT, ALORS QU'IL NE ME RESTAIT PLUS UNE GOUTTE DE CETTE RAISON QUI, JUSQUE-LÀ, AVAIT LÉGITIMÉ MON EXCITATION.

53

Des mêmes auteurs

Xavier Dorison

Chez Dargaud

W.E.S.T, coscénario Fabien Nury, dessin Christian Rossi
La Chute de Babylone
Century Club
El Santero

Chez d'autres éditeurs

Prophet, coscénario et dessin Mathieu Lauffray, 3 tomes parus – Les Humanoïdes associés
Sanctuaire, dessin Christophe Bec, 3 tomes parus – Les Humanoïdes associés
Le Troisième Testament, coscénario et dessin Alex Alice, 4 tomes parus – Glénat
Les Brigades du Tigre, coscénario Fabien Nury, dessin Jean-Yves Delitte – Glénat

Mathieu Lauffray

Prophet, coscénario Xavier Dorison, 3 tomes parus – Les Humanoïdes associés
Proto (monographie) – Soleil
Le Serment de l'Ambre, scénario Frédéric Contremarche – Delcourt

www.dargaud.com

© **DARGAUD** 2007
Conception graphique : Mathieu Lauffray
Tous droits de traduction, de reproduction et d'adaptation strictement réservés pour tous pays.
Dépôt légal : mai 2007 • ISBN 978-2205-05683-9
Printed in France by PPO-Graphic, 91120 Palaiseau

# Long John Silver

Titre disponible :